듣어도 듣어도 재미있는

구연 동화

삼성출판사
samsungbooks.com

차례

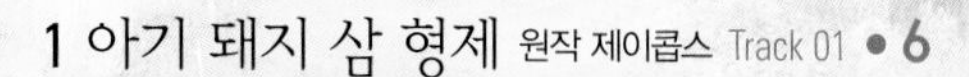

아기 돼지 삼 형제

아기 돼지 삼 형제가 살고 있었어요.

첫째는 게으름뱅이 돼지, 둘째는 먹보 돼지,

그리고 막내는 부지런한 돼지였어요.

아기 돼지 삼 형제는 늑대를 피할 집을 짓기로 했어요.

"난 갈대 집을 지을 테야."

게으름뱅이 첫째 돼지가 말했어요.

첫째 돼지는 하루 종일 빈둥빈둥 놀다가 짚으로 후다닥 집을 지었어요.

"난 나무 집을 지을 거야."

먹보 둘째 돼지가 말했어요.

둘째 돼지는 하루 종일 냠냠 먹다가 나무로 후다닥 집을 지었어요.

"난 벽돌집을 지어야지."

부지런한 막내 돼지가 말했어요. 그리고 하나, 둘, 셋 벽돌을 쌓고

쓱쓱 흙을 바르며 열심히 집을 지었어요.

"야, 튼튼한 집인걸!"

하루는 첫째 돼지 집에 배고픈 늑대가 나타났어요.

"돼지야, 나 좀 들여보내 줘."

"안 돼, 안 돼. 날 잡아먹으려고 그러지?"

늑대는 숨을 들이마신 다음 '후' 하고 불었어요. 그러자 갈대 집이 휙휙, 첫째 돼지도 떼굴떼굴 날아가 버렸어요. 첫째 돼지는 둘째 돼지 집으로 쫓겨 왔어요. 배고픈 늑대가 금세 뒤쫓아 왔어요.

"돼지야, 나 좀 들여보내 줘."

"안 돼, 안 돼. 우릴 잡아먹으려고 그러지?"

늑대는 다시 '후후' 하고 불었어요.

그러자 나무 집이 휙휙, 첫째 돼지와 둘째 돼지도 떼굴떼굴 날아가 버렸어요. 첫째 돼지와 둘째 돼지는 곧 막내 돼지 집으로 달려갔어요.

뒤쫓아 온 늑대가 부드러운 목소리로 말했어요.

"돼지야, 나 좀 들여보내 줘."

"안 돼, 안 돼. 우릴 잡아먹으려고 그러지?"

이번에도 늑대는 '후' 불고, '후후' 불었어요.

하지만 벽돌집은 끄떡도 하지 않았어요.

늑대는 문을 힘껏 밀어 보았어요.

창문도 당겨 보았지만 어림없었어요.

"내가 못 들어갈 줄 알아?
꼭 너희들을 잡아먹고 말겠어!"

늑대는 지붕 위로 올라가서 굴뚝으로 '쿵쾅' 들어갔어요.

"큰일 났다, 큰일 났어! 어서 벽난로에 불을 지피자!"

막내 돼지가 나무를 가져와 불을 붙였어요. 벽난로에서 불이 활활 타올랐어요. 아무것도 모르는 늑대는 굴뚝으로 내려오다가 난롯불 위로 '쿵' 하고 떨어졌어요.

"앗, 뜨거워! 늑대 살려!"

불에 엉덩이를 덴 늑대는 펄쩍펄쩍 뛰면서 달아났어요.

"하하하, 늑대가 도망갔다! 늑대가 도망갔어!"

이렇게 해서 아기 돼지 삼 형제는 모두 벽돌로 튼튼한 집을 지었어요. 그리고 멋진 집에서 행복하게 살았답니다.

시골 쥐와 서울 쥐

서울 쥐가 시골 쥐 집으로 놀러갔어요.

시골 쥐는 옥수수와 감자를 정성껏 차려 내놓았어요.

"어휴, 이런 걸 어떻게 먹고 사니?"

서울 쥐가 한숨을 쉬며 말했어요.

"난 맛있는 고기와 케이크를 먹고 사는데.
나랑 서울로 가자."

시골 쥐는 당장 서울 쥐를 따라나섰어요. 서울에 도착한 시골 쥐는 서울 쥐가 사는 곳을 보고 깜짝 놀랐어요.

식탁에는 맛있는 케이크와 과자가 잔뜩 있었거든요.

"와, 정말 맛있겠다!"

시골 쥐가 음식을 먹으려는데,
문밖에서 발자국 소리가 들렸어요.

"이크, 사람들이다. 어서 달아나!"

서울 쥐가 식탁 밑으로 내려갔어요. 시골 쥐도 얼떨결에 따라갔어요. 둘은 꼼짝도 않고 숨어 있었어요. 사람들이 가고 나자 시골 쥐와 서울 쥐는 식탁으로 올라왔어요. 시골 쥐가 다시 음식을 먹으려는데, 이번에는 고양이가 식탁을 덮쳤어요.

"야옹, 크악!"

시골 쥐와 서울 쥐는 쥐구멍으로 부리나케 도망갔어요.

쥐구멍 안에서 시골 쥐가 덜덜 떨며 말했어요.

"난 그냥 시골로 갈게. 보잘것없는 음식을 먹어도
마음 편한 시골이 더 좋아."

시골 쥐는 뒤도 돌아보지 않고 시골로 돌아갔답니다.

개미와 베짱이

햇볕이 쨍쨍 내리쬐는 한여름이었어요. 개미들이 땀을 뻘뻘 흘리며 일하고 있었어요. 베짱이는 시원한 그늘에서 한가로이 노래를 부르고 있었어요.

"개미야, 이렇게 더운 날에도 일을 하니?"

"추운 겨울 동안 먹을 양식을 미리 모으는 거야."

개미들은 쉬지 않고 먹을 것을 날랐어요. 하지만 베짱이에게 추운 겨울은 멀고도 먼 이야기 같았어요.

"쯧쯧, 벌써부터
겨울을 생각하다니
미련한 개미라니까."

베짱이는 계속해서
노래만 불렀어요.
어느새 나뭇잎이 빨갛게
물든 것도 모르고 말이에요.
이윽고 눈이 내리기 시작했어요.
흰 눈이 산과 들을 모두 덮어 버렸어요.
베짱이가 먹을 것은 어디에도 남아 있지 않았어요.
땅속 개미집만 빼고 말이에요.
'똑똑똑!' 배고픈 베짱이가 개미집 문을 두드렸어요.
"베짱이야, 어서 들어와!"
개미는 베짱이를 따뜻한 방으로 데려갔어요.
"고생이 많았구나."
개미는 맛있는 음식도 나눠 주었어요.
"개미야, 너희를 비웃어서 정말 미안해.
앞으로는 나도 열심히 일할게."
베짱이는 자신이 부끄러웠답니다.

미운 아기 오리

시골 농장에서 엄마 오리가 알을 품고 있었어요.

시간이 지나자, 아기 오리들이 알을 깨고 나오기 시작했어요.

마지막으로 가장 큰 알이 깨지더니 크고 못생긴 아기 오리가 나왔어요.

"꽥꽥꽥!"

"어머, 재 좀 봐! 어쩌면 저렇게 못생겼을까? 하하하!"

미운 아기 오리는 농장의 웃음거리가 되었어요.

언니 오리와 오빠 오리조차 함께 놀아 주지 않았어요.

"내가 못생겨서 모두 날 싫어해. 이곳을 떠나야겠어."
미운 아기 오리는 집을 나와 길을 떠났어요.
미운 아기 오리가 갈대숲에 도착했을 때였어요. '탕탕!' 하고
총소리가 울리더니, 사냥개들이 갈대숲으로 달려왔어요.
미운 아기 오리는 무서워서 간이 콩알만 해졌어요.
하지만 개는 냄새를 맡더니 곧 가 버렸어요.
"내가 너무 못생겨서 개도 그냥 가는구나."
미운 아기 오리는 갈대숲에서 곧장 도망쳤어요.
바람이 불고 비가 몰아쳤어요.
미운 아기 오리는 한참 만에 외딴집에 도착했어요.
문을 두드리자 주인 할머니가 나왔어요.
"길 잃은 오리구나. 어서 들어오너라."
그 집에는 고양이와 암탉도 살고 있었어요.
"야옹, 너 나처럼 쥐를 잡을 수 있니?"
"꼬꼬댁, 너 알을 낳을 수 있어?"

"넌 아무것도 못 하는 바보야!"

고양이와 암탉은 미운 아기 오리를 못살게 굴었어요.

그래서 아무도 몰래 할머니의 집을 빠져나왔어요.

미운 아기 오리는 큰 호숫가에서 눈부시게 새하얀 백조들을 보았어요.

"나도 저 새들처럼 아름다웠으면!"

미운 아기 오리는 백조들이 좋아서 호수에 머물기로 했어요.

겨울이 되었어요. 찬 바람이 불고, 호수의 물도 얼기 시작했어요.

미운 아기 오리도 꽁꽁 얼어붙었어요.

지나가던 농부가 미운 아기 오리를 발견해서 집으로 데려갔어요.

"야, 아기 오리가 살아났다!"

미운 아기 오리가 깨어나자, 농부의 아이들이 소리쳤어요.

미운 아기 오리는 아이들이 못살게 굴까 봐 겁이 났어요.

그래서 허둥지둥 도망치다 우유를 쏟고, 버터를 엎지르고,

밀가루 통을 쓰러뜨렸어요. 그러자 농부의 아내가 소리쳤어요.

"이 말썽꾸러기, 당장 나가!"

농부의 집에서도 쫓겨난 미운 아기 오리는

혼자서 추운 겨울을 견뎌 냈어요.

마침내 찬 바람이 수그러든 어느 날이었어요.

"아, 다시 호수에서 헤엄을 칠 수 있겠어."

미운 아기 오리는 날개를 퍼드덕거려 보았어요. 그런데 몸이 하늘로 쑥 날아오르는 거예요. 그 순간 미운 아기 오리는 호수에 비친 자신의 모습을 보고 깜짝 놀랐어요.

"와, 내가 백조가 되었어!"

여기저기서 백조들이 날아와 미운 아기 오리를 환영했어요.

"새로 온 백조가 제일 예쁘네."

백조가 된 미운 아기 오리는 행복해서 날개를 활짝 폈어요.
그리고 하늘 높이 날아올랐답니다.

해와 바람

어느 날, 바람이 해를 찾아왔어요.

"이봐, 세상에서 누가 힘이 제일 센지 알아? 바로 나, 바람이야."

"허허, 그래?"

해가 웃으며 말했어요.

"못 믿겠으면 나랑 내기를 해 볼까?"

그때, 한 나그네가 들판을 걸어가고 있었어요.

"저 사람의 외투를 벗기는 쪽이 이기는 걸로 하자."

바람은 말을 마치기가 무섭게 먼저 입김을 불어 댔어요.

"후우욱, 후우욱!"

나그네는 바람이 불어오자 외투를
꼭 붙잡았어요. 그것을 본 바람은
더 세게 입김을 불었어요.
"후우욱, 쌔앵 쌔앵!"
나그네는 외투를 더 단단히 붙잡았어요.
아무리 바람이 세게 입김을 불어도
나그네의 외투는 결코 벗겨지지 않았어요.

"아, 힘들어. 난 이제 그만 할래."
바람이 물러나자, 해가 나섰어요.
"이번엔 내 차례군. 내가 하는 걸 잘 봐."
해는 웃으며 따뜻한 햇빛을 비추기 시작했어요. 나그네는 햇빛이
비치자 외투 단추를 풀었어요. 해는 점점 더 뜨겁게 내리쬐었어요.
마침내 너무 더워서 참다못한 나그네는 외투를 벗어 던졌어요.
"바람아, 힘이 세다고 잘난 척하면 못써."
해의 말에 바람은 부끄러워 달아나 버렸답니다.

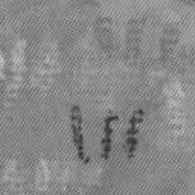

은혜 갚은 생쥐

햇살이 따사로운 어느 날, 배부른 사자가 꾸벅꾸벅 졸고 있었어요.
그런데 생쥐 한 마리가 쪼르르 달려오다 그만 사자를 건드리고
말았어요. 그 바람에 잠에서 깬 사자가 생쥐를 덥석 붙잡았어요.
"이 생쥐 녀석, 감히 날 깨우다니!"
사자는 생쥐를 잡아먹으려고 했어요.
생쥐가 앞발을 모아 싹싹 빌며 말했어요.
"사자님, 사자님! 한 번만 살려 주세요.
이 은혜는 꼭 갚을게요."

"하하하, 너같이 작은 녀석이 나에게
은혜를 갚겠다고? 오늘은 내 배가
부르니 살려 주마."
사자는 큰 소리로 웃으며 생쥐를 놓아주었어요.
며칠 후, 사자는 사냥꾼이 쳐 놓은 그물에
걸리고 말았어요.

"끙끙, 사자 살려!"

그물에 걸린 사자는 꼼짝할 수가 없었어요.

그때, 생쥐가 사자의 울음소리를 듣고 달려왔어요.

"사자님, 기다리세요. 제가 구해 드릴게요."

생쥐는 뾰족한 이빨로 그물을 갉아서 사자를 풀어 주었어요.

"생쥐야, 고맙다. 앞으로는 작다고 무시하지 않을게."

사자는 생쥐에게 진심으로 사과했답니다.

브레멘 동물 음악대

옛날에 당나귀 한 마리가 살았어요. 당나귀가 늙고 기운이 없어지자,
주인이 당나귀를 팔아 버리려고 했어요.
"브레멘으로 가서 음악대를 만들 거야!"
당나귀는 주인 몰래 도망쳤어요.
브레멘으로 향하던 당나귀는 힘없이 걷고 있는 사냥개를 만났어요.
"사냥개야, 사냥개야! 무슨 일이니?"
당나귀가 물었어요.
"내가 늙어서 사냥을 못 한다고 주인한테 쫓겨났어."
"그럼, 브레멘으로 가서 음악대를 만들자!"
사냥개는 신이 나서 따라나섰어요. 브레멘으로 향하던
당나귀와 사냥개는 슬픈 얼굴을 한 고양이를 만났어요.

"고양이야, 고양이야! 무슨 일이니?"

사냥개가 물었어요.

"주인이 쥐도 못 잡는 늙은 고양이라며 나를 내쫓으려고 해."

"그럼, 브레멘으로 가서 음악대를 만들자!"

고양이도 기뻐하며 따라나섰어요.

"꼬끼오! 꼬꼬꼬."

브레멘으로 향하던 당나귀와 사냥개와 고양이는

수탉의 슬픈 목소리를 들었어요.

"수탉아, 수탉아! 무슨 일이니?"

고양이가 물었어요.

"글쎄, 주인 아주머니가 나를 잡아서 요리를 해 먹는다지 뭐야."

"그럼, 우리랑 브레멘으로 가서 음악대를 만들자!"

이렇게 해서 당나귀와 사냥개 그리고 고양이와 수탉은

모두 함께 브레멘으로 떠났어요.

그런데 브레멘에 도착하기도 전에 날이 어두워졌어요.

때마침, 근처의 한 낡은 집에서 불빛이 새어 나오고 있었어요.

키 큰 당나귀가 창문으로 집 안을 들여다보았어요.

“도둑들이 음식을 잔뜩 차려 놓고 먹고 있어.
우리가 저 도둑들을 쫓아내자!”
곰곰이 생각한 끝에, 한 가지 꾀가 떠올랐어요.
먼저 당나귀가 창문 쪽으로 가 섰어요.
당나귀 위에 사냥개, 사냥개 위에 고양이,
고양이 위에 수탉! 이렇게 차례로 올라탔어요.
그리고 동시에 큰 소리로 울었어요.
“히이잉 히이잉!” “멍멍 멍멍!”
“야옹 야옹!” “꼬끼오 꼬끼오!”
“으악, 귀신이 나타났다!”
도둑들은 깜짝 놀라서 숲 속으로 도망쳤어요.
“모두들 참 잘했어! 멋진 잔치를 벌여 보자!”
당나귀가 신이 나서 소리쳤어요. 동물들은
도둑들이 남긴 음식을 맛있게 먹었어요.

마침내 배가 부르자, 저마다
잠자리를 찾았어요. 난롯가에 고양이,
문 뒤에 사냥개, 짚더미 위에 당나귀,
선반 위에 수탉! 이렇게 각자 자리를
잡고 곧 잠이 들었어요.

"정말로 귀신인지 살펴봐야겠어."

아무래도 이상했던 한 도둑이 살금살금 집 안으로 들어왔어요.

집 안은 어둡고 고요했어요.

"불을 켜 봐야겠군."

도둑은 난롯가에서 빛나는 고양이 눈을 불씨로 잘못 알고 성냥을 갖다 댔어요. 그러자 고양이가 앞발을 들어 도둑의 얼굴을 할퀴었어요.

놀란 도둑이 문 쪽으로 도망치는데, 사냥개가 다리를 꽉 물었어요.

수탉도 날아와 도둑의 머리를 콕콕 쪼았어요.

"으악, 진짜 귀신이다!"

도둑이 뒤뜰로 뛰어나가자 이번에는 당나귀가 뒷발로 뻥 걷어찼어요.

겁에 질린 도둑은 뒤도 안 돌아보고 멀리멀리 달아났어요.

네 마리 동물들은 그 집이 좋아서 머물기로 했어요.

당나귀는 북을 두드리고, 사냥개는 기타를 치고,

고양이는 바이올린을 연주하고,

수탉은 노래를 부르며

행복하게 살았답니다.

황금 알을 낳는 거위

시골 마을, 가난한 농부에게
거위 한 마리가 생겼어요.
그런데 이 거위는 신기하게도
날마다 황금 알을 한 개씩
낳았어요.
가난했던 농부는 황금 알을
내다 팔아 부자가 되었어요.

"거위야, 많이 먹고
황금 알을 쑥쑥 낳아라."

그러던 어느 날, 부자가 된 농부는
더 큰 부자가 되고 싶은 욕심이
생겼어요.

"매일 황금 알을 한 개만 낳을 게 뭐람? 한 개씩 얻어서 언제 큰 부자가
되겠어? 한꺼번에 여러 개를 얻을 뭐 좋은 수가 없을까?"

농부는 더 큰 부자가 되고 싶은 욕심에 눈이 어두워졌어요.

“거위 배 속에는 황금 알이 가득 들어 있는 게 분명해.
거위를 잡아서 황금 알을 모두 꺼내야겠어!”

농부는 거위를 잡아다가 배를 갈랐어요.

그러나 거위 배 속에는 황금 알은커녕 아무것도 없었어요.

“아이고, 황금 알을 한꺼번에 얻으려다,
이젠 한 개도 못 얻게 돼 버렸네.”

그제야 농부는 눈물을 흘리며 후회했어요.

하지만 이미 거위는 죽고 난 뒤였답니다.

양치기 소년

어느 마을에 양치기 소년이 살았어요.

"늑대가 나타나면 곧바로 알려야 한다!"

마을 사람들은 양치기 소년에게 단단히 일러두었어요.

어느 날, 양치기 소년은 너무 심심해서 장난을 쳤어요.

"늑대다! 늑대가 나타났어요!"

그러자 마을 사람들이 헐레벌떡 달려왔어요.

"헉헉, 늑대는 어디 있니?"

"히히히, 심심해서 장난친 거예요."

양치기 소년의 말에

마을 사람들은 화를 내며

돌아갔어요.

다음 날, 양치기 소년은 또

장난을 치고 싶었어요.

"늑대다! 늑대가 나타났어요!"

그러자 마을 사람들이 또 달려왔어요.

이 모습을 본 양치기 소년은 배를 잡고 웃었어요.

"하하하, 거짓말이에요."

"이 녀석, 이제 보니 거짓말쟁이구나!"

또다시 속은 것을 안 마을 사람들은 화를 내며 돌아갔어요.

그러던 어느 날, 정말로 무서운 늑대가 나타났어요.

"도와주세요! 진짜 늑대가 나타났어요!"

"저 녀석이 또 거짓말을 하는군. 이제는 우리도 안 속아."

마을 사람들은 코웃음을 쳤어요. 그 사이에 양들은 늑대에게 모두 잡아먹히고 말았답니다.

늑대와 일곱 마리 아기 염소

어느 숲 속에 엄마 염소와 일곱 마리 아기 염소가 살았어요.

하루는 엄마 염소가 시장에 가며 말했어요.

"얘들아, 무서운 늑대가 올지 모르니까 절대 문을 열어 주면 안 된다!"

"네, 엄마!"

그런데 숲 속에 사는 늑대가 이 모습을 지켜보고 있었어요.

"흐흐흐, 아기 염소들이 토실토실 맛있겠네."

엄마 염소가 사라지자, 늑대는 성큼성큼 달려가서 문을 두드렸어요.

"얘들아, 엄마다. 문 열어라."

"아니야, 우리 엄마 목소리가 아니야!"

늑대는 큼큼

목소리를 한껏 다듬었어요.

"호호호, 엄마가 감기에 걸려서 그래."

"그러면 발을 한번 보여 주세요."

늑대는 문틈으로 시커먼 발을 내밀었어요.

"아니야, 이건 우리 엄마 발이 아니야!"

늑대는 발에 하얀 밀가루를 흠뻑 묻혀서 다시 내밀며 말했어요.

"얘들아, 엄마다. 어서 문 열어라."

"와, 우리 엄마 발이 맞네."

아기 염소들은 문을 열어 주고 말았어요.

"크아앙!"

늑대가 와락 달려들었어요.

"으악, 늑대다!"

아기 염소들은 깜짝 놀라 여기저기에 숨었어요.

"흐흐흐, 숨는다고 내가 못 찾을 줄 알고?"

늑대는 아기 염소 여섯 마리를 찾아내,

커다란 입으로 꿀꺽꿀꺽 삼켜 버렸어요.

막내 아기 염소만이 늑대를 피해 꼭꼭 숨어 있었어요.

늑대는 배가 부르자, 집을 나와 숲 속으로 사라졌어요.

이윽고 시장에 갔던 엄마 염소가 돌아왔어요.

"어머, 문이 열려 있네? 얘들아, 어디 있니?"

엄마 염소는 아기 염소들이 없어진 것을 알고 깜짝 놀랐어요.

그때, 벽시계 속에서 막내 아기 염소의 목소리가 들렸어요.

"엄마, 저 여기에 있어요."

엄마 염소는 막내 아기 염소를 꺼내 주었어요. 막내 아기 염소로부터

모든 이야기를 들은 엄마 염소는 늑대를 찾으러 나갔어요.

"드르렁 드르렁."

늑대는 풀밭에서 잠을 자고 있었어요.

엄마 염소는 살금살금 다가가서 가위로 늑대의 배를 갈랐어요.
그러자 배 속에서 아기 염소들이 나왔어요.
"야호, 우리 엄마다!"
"얘들아, 늑대가 깨기 전에 돌멩이를 주워 오렴."
엄마 염소는 늑대의 배 속에 돌멩이를 잔뜩 넣고 꿰맸어요.
그리고 모두 함께 숨어서 늑대를 지켜보았어요.
"아함, 잘 잤다."
잠에서 깬 늑대는 갑자기 목이 말랐어요.
늑대는 우물로 가서 물을 마시려고 엎드렸어요.
그러자 배 속의 돌멩이가 앞으로 쏠렸어요.
그 바람에 늑대는 우물 속으로
풍덩 빠지고 말았어요.
"어푸어푸, 늑대 살려!"
엄마 염소와 아기 염소들은
팔짝팔짝 뛰며 기뻐했답니다.

욕심 많은 개

어느 날, 욕심 많은 개가 고기를 입에 물고 길을 가고 있었어요.
'이 고기는 아무도 몰래 나 혼자 먹어야지.'
잠시 후, 욕심 많은 개는 개울 위에 놓인 다리를 건너게 되었어요.
욕심 많은 개는 다리 아래의 물속에서 자기를 쳐다보고 있는
개를 발견하고 깜짝 놀랐어요.
'아니, 저 녀석도 고기를 물고 있네. 저것도 빼앗아 먹어야지.'
욕심 많은 개는 그 개를 향해 큰 소리로 짖어 댔어요.
"야, 그 고기 내놔! 멍멍, 멍멍!"
순간 욕심 많은 개가 물고 있던 고기가 물속으로
떨어지고 말았어요. 그제야 욕심 많은 개는
물에 비친 개가 자기였다는 것을
알게 되었답니다.

황소를 부러워한 개구리

개구리 한 마리가 풀밭에 놀러 갔다가 우연히 황소를 보았어요.

"우아, 황소는 진짜 크다!"

개구리는 황소의 커다란 덩치가 부러웠어요. 집으로 돌아온 개구리는 볼에 팽팽하게 바람을 넣고 가족들에게 말했어요.

"어때? 이렇게 하니까 나도 황소만 하지?"

"아니요."

가족들은 모두 고개를 저었어요.

개구리는 배 속까지 잔뜩 바람을 넣었어요.

"이번에는 정말 황소만 하지?"

"아니요."

가족들은 고개를 더 세차게 저었어요.

그러자 화가 난 개구리는 피부가 늘어날 수 있는 데까지 한껏 몸을 부풀렸어요.

그러다가 그만 '펑' 하고 배가 터지고 말았답니다.

지혜로운 까마귀

몹시 더운 여름날, 한 까마귀가 물을 찾아다니고 있었어요.

그러나 시냇물이 말라 버려서 물을 구할 수가 없었어요.

"어유, 목말라. 어디 가서 물을 구한담?"

한참 동안 헤매던 까마귀는 병을 하나 발견했어요.

"이야, 물병이다!"

까마귀는 기뻐하며 물병 속으로 부리를 집어넣었어요.

그러나 물이 병 밑바닥에 조금밖에 없어서 부리가 물까지

닿질 않았어요.

“겨우 찾아낸 물인데 마실 수가
없다니. 무슨 좋은 방법이 없을까?”
잠시 머리를 갸웃거리던 까마귀는
좋은 수가 떠올랐어요.
“좋아, 그렇게 하면 물을 마실 수 있겠어.”
까마귀는 작은 돌멩이들을 입에 물고 와서
병 속에 계속 집어넣었어요.
그러자 병 속의 물이 점점 올라와서
까마귀의 부리까지 닿았어요.
“후유, 이제 살았다!”
까마귀는 시원하게 물을
마실 수 있었답니다.

백설 공주

머나먼 나라의 커다란 성에 왕과 왕비 그리고 예쁜 공주가 살았어요. 공주는 살결이 눈처럼 하얘서 '백설 공주' 라고 불렸어요. 어느 날 착하고 어여쁜 백설 공주에게 슬픈 일이 일어났어요. 왕비가 갑자기 세상을 떠난 거예요.
슬퍼하는 백설 공주를 위해 왕은 새로 왕비를 맞이했어요.
왕비는 아름다웠지만 실은 마음씨 나쁜 마녀였어요.

왕비에게는 요술 거울이 있었어요.
그 거울은 무엇이든지 물으면 사실대로 대답하는 신비한 거울이었어요.
어느 날, 왕비가 한껏 멋을 부리고 요술 거울에게 물었어요.
"거울아, 거울아, 세상에서 누가 제일 예쁘니?"
"백설 공주님이 제일 예쁘답니다."

요술 거울의 말에 왕비는 샘이 났어요.

왕비는 아무도 몰래 사냥꾼을 불러 말했어요.

"백설 공주를 숲 속으로 데려가서 죽이도록 해라!"

하지만 사냥꾼은 백설 공주가 가엾어서 숲 속에 놓아주었어요.

백설 공주는 숲 속을 헤매다가 작은 오두막집을 보았어요.

그 집은 일곱 난쟁이가 사는 집이었어요.

"안녕하세요. 저는 커다란 성에서 온 백설 공주예요."

백설 공주는 그동안의 일을 난쟁이들에게 말했어요.

"가엾은 백설 공주님, 여기서 우리와 함께 살아요."

이렇게 해서 백설 공주는 일곱 난쟁이들과 살게 되었어요.

한편, 커다란 성의 왕비는 요술 거울에게 또 물었어요.

"거울아, 거울아, 세상에서 누가 제일 예쁘니?"

"숲 속에 사는 백설 공주님이
제일 예쁘답니다."

화가 난 왕비는 할머니로 꾸미고 백설 공주를 찾아갔어요.

"공주님, 이 허리띠를 허리에 매어 봐요!"

"어머, 멋진 허리띠네요!"

왕비가 허리띠를 꽉 졸라매자, 백설 공주는 숨이 막혀 쓰러졌어요.

하지만 일곱 난쟁이가 돌아와 허리띠를 풀자, 백설 공주는 다시 숨을 쉬었어요. 다음 날, 왕비는 다시 백설 공주를 찾아갔어요.

"공주님, 이 빗으로 머리를 빗어 봐요!"

"와, 예쁜 빗이네요!"

머리를 빗자마자, 빗에서 독이 나와 백설 공주는 쓰러지고 말았어요.

하지만 일곱 난쟁이가 돌아와 빗을 빼자, 백설 공주는 다시 깨어났어요.

화가 난 왕비는 독 사과를 만들어 백설 공주를 찾아갔어요.

"공주님, 이 빨간 사과 좀 먹어 봐요!"

"참 맛있어 보이네요!"

사과를 한 입 먹자마자, 백설 공주는 독이 퍼져 쓰러지고 말았어요.

이번에는 일곱 난쟁이도 백설 공주를 살릴 수가 없었어요.

"흑흑, 공주님, 돌아가시면 안 돼요."

일곱 난쟁이들은 슬피 울면서 백설 공주를 유리 관에 눕혔어요.

때마침, 지나가던 이웃 나라 왕자가 백설 공주를 보았어요.

"오, 이렇게 예쁠 수가! 가엾기도 해라."

왕자는 누워 있는 백설 공주를 안아 일으켰어요. 그러자 백설 공주의 입에서 사과 조각이 튀어나오더니, 백설 공주가 눈을 떴어요.

"만세! 백설 공주님이 살아나셨다!"

다시 깨어난 백설 공주도 멋진 왕자님의 모습에 반했어요. 백설 공주와 왕자는 함께 이웃 나라의 성으로 갔어요. 두 사람은 결혼을 하여 오래오래 행복하게 살았답니다.

토끼와 거북

햇볕이 쨍쨍 내리쬐는 어느 날, 토끼가 거북을 보고 놀렸어요.

"거북아, 넌 정말 걸음이 느리구나."

그러자 거북은 약이 올랐어요.

"우리 누가 빠른지 경주해 보자! 저 산꼭대기까지 먼저 가는 쪽이 이기는 거야."

"좋아. 준비, 출발!"

토끼는 깡충깡충 뛰어갔고, 거북은 느릿느릿 기어갔어요.

"느림보 거북아, 날 쫓아와 보렴!"

토끼는 한달음에 산 중턱까지 올라갔어요.

뒤돌아보니 거북은 아직도 산 아래에 있었어요.

"한숨 자고 가도 되겠는걸."

토끼는 풀 위에 누워 쿨쿨 잠이 들었어요.

거북은 쉬지 않고 엉금엉금 산을 올라갔어요.

거북은 잠든 토끼를 지나, 마침내 산꼭대기에 도착했어요.

"만세! 내가 이겼다."

"아니, 뭐라고?"

깜짝 놀라 잠이 깬 토끼는 허둥지둥 뛰어갔어요.

하지만 거북은 이미 산꼭대기 나무 아래에서 쉬고 있었어요.

느림보 거북이 토끼를 이겼답니다.

소금 짐을 지고 가는 나귀

날마다 등에 짐을 지고 나르는 나귀가 있었어요.

하루는 주인이 나귀 등에 소금을 잔뜩 실었어요.

나귀는 짐이 너무 무거워 뒤뚱뒤뚱 걸었어요.

시내를 건너게 되자, 나귀는 발을 헛디뎌 물에 빠지고 말았어요.

"히이잉, 나귀 살려!"

물속에서 한참 동안 버둥거리다

일어난 나귀는 깜짝 놀랐어요.

소금이 물에 녹아서 짐이 가벼워진 거예요.

'물에 빠졌다가 나오면

짐이 가벼워지는구나.'

나귀는 기분이 좋아서

코를 벌름거렸어요.

며칠 뒤, 주인은 나귀 등에 솜을 잔뜩 실었어요.

시내를 보자마자, 나귀는 지난번 일을 떠올리며 물에 풍덩 빠졌어요.

'이제 짐이 가벼워졌겠지?'

나귀는 물속에서 여유를 부린 뒤 일어나려고 했어요.

하지만 갑자기 짐이 몇 배로 무거워져서 일어날 수가 없었어요.

나귀는 솜이 물을 빨아들이면 훨씬 무거워진다는 사실을 몰랐던 거예요. 꾀를 부리려던 나귀는 무거워진 짐 때문에 울상이 되었답니다.

헨젤과 그레텔

옛날에 가난한 나무꾼이 두 아이를 데리고 살았어요.

오빠는 헨젤, 여동생은 그레텔이었어요.

어느 날, 새어머니가 들어왔는데 마음씨가 아주 나빴어요.

새어머니는 아이들 몰래 아버지에게 말했어요.

"아이들을 숲 속에 갖다 버립시다."

그러나 헨젤이 문밖에서 새어머니가 하는 얘기를 모두 들었어요.

헨젤은 바로 뜰로 나가 달빛에 반짝이는 조약돌을 주우며 생각했어요.

'이것만 있으면 집으로 돌아올 수 있어.'

다음 날 아침, 새어머니는 헨젤과 그레텔을 숲 속으로 데리고 갔어요.

헨젤은 미리 주워 둔 조약돌을 하나씩 떨어뜨리며 쫓아갔어요.

"내가 나무를 하는 동안 너희는 여기서 기다리렴."

그러나 새어머니는 깜깜한 밤이 되어도 돌아오지 않았어요.

헨젤과 그레텔은 달빛에 반짝이는 조약돌을 따라 숲을 빠져나왔어요.

아이들이 돌아오자 아버지는 기뻤지만, 새어머니는 실망스러웠어요.

그래서 새어머니는 다음 날 헨젤과 그레텔을 더 깊은 숲 속으로 데리고 갔어요. 헨젤은 이번에는 갖고 있던 빵을 조금씩 뜯어 떨어뜨렸어요. 그러나 집으로 돌아가려고 했을 때는, 새들이 빵 조각을 모두 쪼아 먹은 뒤였어요. 집으로 갈 수 없게 되자 그레텔은 울음을 터뜨렸어요.

"흑흑, 오빠, 이제 어떻게 집에 돌아가지?"

그때 하얀 새 한 마리가 나타나 두 사람을 신기한 집으로 안내했어요.

"오빠, 저기 좀 봐! 설탕과 초콜릿 그리고 과자로 만든 집이야!"

배가 몹시 고팠던 헨젤과 그레텔은 집의 여기저기를 뜯어 먹었어요.

그 순간 과자 집의 문이 열리더니, 이상한 할머니가 나왔어요.

"얘들아, 과자를 더 줄 테니 안으로 들어오렴."

헨젤과 그레텔은 집 안으로 들어갔어요. 그러자 할머니는 돌변하여

헨젤을 우리에 가두고, 그레텔에게 음식을 만들게 했어요.

"히히히, 얘들을 어떻게 잡아먹을까?"

할머니는 아이들을 잡아먹는 무서운 마귀할멈이었던 거예요.

마귀할멈은 헨젤을 통통하게 살찌워 잡아먹으려고 했어요.

그래서 날마다 헨젤에게 음식을 잔뜩 먹인 뒤 말했어요.

"팔을 내밀어 봐. 살이 얼마나 쪘는지 만져 보자."

헨젤은 꾀를 내어 눈이 나쁜 마귀할멈에게 뼈다귀를 내밀었어요.

"이상하군. 왜 아직도 뼈다귀처럼 마른 거지?"

한 달이 지나자, 마귀할멈은
더 이상 참을 수가 없었어요.
"이제 저 녀석을
잡아먹어야겠다."
마귀할멈은 그레텔에게 커다란
솥에 물을 끓이게 했어요.
"할머니, 물이 끓고 있는지
봐 주세요."
그레텔의 말에 마귀할멈은 투덜거리며 솥 가까이로 다가왔어요.
이때 그레텔은 마귀할멈의 등을 힘껏 떠밀었어요.
"으악!"
마귀할멈은 펄펄 끓는 물에 빠지고 말았어요.
헨젤과 그레텔은 마귀할멈의 보물들을 가지고 무사히
과자 집을 빠져나왔어요. 그리고 집으로 돌아왔어요.
아버지가 집에서 헨젤과 그레텔을 기다리고 있었어요.
새어머니는 도망을 가고 없었어요.
"아버지, 보고 싶었어요."
마침내 세 사람은 헤어지지 않고
행복하게 살았답니다.

곰과 두 친구

두 친구가 함께 여행을 하고 있었어요.

깊은 숲 속에 들어서자, 저만치 앞에서 커다란 곰이 나타났어요.

한 친구가 재빨리 나무 위로 올라갔어요.

"이보게, 나도 같이 올라가세."

미처 나무로 올라가지 못한 친구가 말했어요.

"자네는 다른 나무로 가게."

먼저 올라간 친구는 매정하게 뿌리쳤어요.

다급해진 친구는 하는 수 없이
그 자리에 엎드려 죽은 척을 했어요.
곰은 죽은 사람은 건드리지 않는다는 이야기가 생각났거든요.
곰은 누워 있는 친구에게 다가와 코를 대고 킁킁 냄새를 맡았어요.
친구는 무서웠지만, 숨을 꾹 참았어요.
곰은 한동안 냄새를 맡더니 다시 숲 속으로 사라졌어요.
곰이 사라지자 나무 위에 있던 친구가 내려와 물었어요.
"곰이 자네 귀에다 대고 무슨 말을 하던가?"
"위험할 때 친구를 버리는 사람과는 여행을 하지 말라더군."
누워 있던 친구가 다른 친구를 쏘아보며 말했답니다.

황새와 여우의 저녁 초대

숲 속에 사는 여우가
강가에 사는 황새를
집으로 초대했어요.
여우는 납작한 접시
두 개에 국을 담아
가져왔어요.

"황새야, 차린 건
별로 없지만 많이 먹어."

여우는 혀를 날름거리며 국을 맛있게 먹었어요.
하지만 황새는 그럴 수가 없었어요.
황새의 길고 뾰족한 부리로는 납작한 접시에 담긴 국을
먹을 수가 없었거든요.

"황새야, 너는 국을 싫어하는구나."

여우는 이렇게 말하며 황새의 국까지 모조리 먹었어요.

다음 날, 이번에는 황새가 여우를 집으로 초대했어요.

황새는 목이 좁고 길쭉한 병에 음식을 담아 왔어요.

"여우야, 어서 먹어. 우리 집의 특별 요리야."

황새는 긴 부리를 병 속에 집어넣어 음식을 꺼내 먹기 시작했어요.

그러나 여우는 조금도 먹을 수가 없었어요.

여우의 납작한 입은 길쭉한 병 속에 들어가지 않았거든요.

"여우야, 네가 이런 음식을 싫어하는 줄은 몰랐어."

황새는 고소하다는 듯 말하며 여우의 음식까지 모두 먹었답니다.

피노키오

제페토 할아버지는 가족도 없이 혼자
쓸쓸하게 살았어요. 어느 날, 쓱싹쓱싹
나무토막을 깎아 꼬마 인형을 만들었어요.

"네 이름은 피노키오란다."

피노키오는 멀뚱멀뚱 앞만 바라보고 있었어요.
그날 밤, 푸른 머리의 천사가 나타났어요.
"피노키오야, 네가 사람처럼 움직이고 말도 할 수 있게 해 줄게."
다음 날, 피노키오는 제페토 할아버지에게 걸어와 인사를 했어요.
"할아버지, 안녕하세요?"
제페토 할아버지는 몹시 기뻤어요.
"피노키오야, 너도 학교에 가서 공부를 하렴."
제페토 할아버지는 피노키오에게 책을 사 주었어요.
학교에 가던 피노키오는 길에서 여우와 고양이를 만났어요.
"피노키오, 책을 팔아서 인형극을 보자."

피노키오는 즐거워하며 여우와 고양이를 따라갔어요.

"우아, 재미있다!"

피노키오는 멋진 인형극을 보며 신이 났어요.

그때, 극장 주인이 피노키오를 지켜보고 있었어요.

"나무 인형이 말을 하네! 이 녀석을 구경꾼들에게 보여 줘야지."

극장 주인은 피노키오를 잡아다가 창고에 가두었어요.

창고에 갇힌 피노키오 앞에 다시 천사가 나타났어요.

"제 잘못이 아니에요. 나쁜 친구들에게 억지로 끌려왔어요."

피노키오가 거짓말을 하자, 코가 쭉쭉 길어졌어요.

"악, 잘못했어요. 다시는 거짓말을 안 할게요."

그제야 피노키오의 코가 다시 짧아졌어요.

천사는 피노키오를 창고에서 꺼내 주었어요.

피노키오는 집으로 가다가 마차에 타고 있는 아이들을 만났어요.

"피노키오, 장난감 나라로 가는 마차야."

"하루 종일 먹고 놀기만 하는 곳이래."

"나도 장난감 나라에 갈래."

피노키오는 또 아이들을 따라갔어요. 장난감 나라에서 날마다 먹고 놀기만 하다 보니, 피노키오와 아이들은 당나귀로 변하고 말았어요.

"흑흑, 앞으로는 착한 아이가 될게요."

피노키오는 울면서 빌었어요. 그러자 천사가 나타나 피노키오를 원래의 모습으로 되돌려 주었어요. 피노키오는 집으로 돌아왔어요. 그러나 제페토 할아버지가 보이지 않았어요.

"피노키오, 할아버지께서는 너를 찾아다니시다가 고래에게 잡아먹히셨어."

지나가던 갈매기가 말해 주었어요.

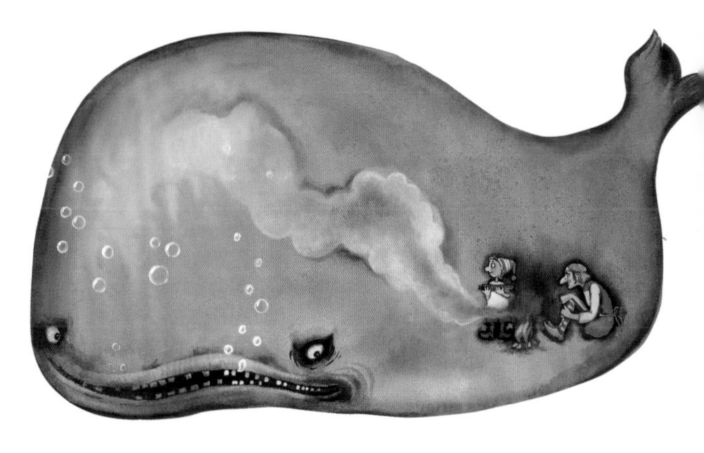

피노키오는 할아버지를 구하러
바다로 풍덩 뛰어들었어요.
때마침 고래가 나타나
커다란 입을 쩍 벌렸어요.
"으악!"
피노키오는 고래 배 속으로 휩쓸려 들어갔어요.
그런데 고래 배 속에 제페토 할아버지가 있었어요.
"피노키오야!"
"할아버지, 이제 말썽 안 부릴게요. 우리 여기서 나가요."
피노키오는 고래 배 속에서 불을 피웠어요. 연기가 피어오르자 고래는
큰 소리로 기침을 하며 할아버지와 피노키오를 뱉어 냈어요.
피노키오는 할아버지를 업고 바닷속을 헤엄쳐 나왔어요.
마침내 집으로 돌아온 피노키오는 제페토 할아버지의 일을 도우며
하루하루 열심히 살았어요. 그러던 어느 날 밤,
피노키오 앞에 다시 천사가 나타났어요.
"피노키오야, 착한 아이가 되었구나!
이제 진짜 사람으로 만들어 줄게."
진짜 사람이 된 피노키오는 제페토 할아버지와
함께 오래오래 행복하게 살았답니다.

부모님께

동화와 함께 크는 아이들

황소영 (유아교육학 박사)

동화를 들려주는 것은 유아의 발달에 많은 도움이 됩니다. 동화를 통해 듣기와 말하기, 읽기와 쓰기로 이어지는 언어 발달이 촉진되며, 동화에 나오는 아름다운 말들은 유아에게 언어에 대한 심미감을 심어 주어 바르고 고운 말을 하도록 이끌어 줍니다.

2세가 지나 말하기 시작하는 아이에게는 동화를 자주 들려주는 것이 좋습니다. 수많은 언어를 듣고 따라 하면서 말하기 능력이 길러지기 때문입니다. 또한 동화 듣기를 통해 다른 사람의 말을 주의 깊게 듣는 태도가 형성됩니다. 이 시기에는 동물이 등장하는 동화를 들려주면 유아는 의인화를 통해 친근감과 흥미를 갖고 이야기에 집중하게 됩니다.

3세부터는 상상력이 한층 풍부해져 자기만의 상상을 즐기게 됩니다. 이 시기에는 동화 속 주인공과 자신을 동일시하는 것을 좋아하므로 사람이 주인공으로 등장하는 세계 명작 동화를 들려주는 것이 좋습니다. 이러한 상상은 창의적이고 논리적인 사고를 가능하게 합니다. 또 자신이 상상한 것에 대해 더 많이 알고 싶어 하면서 탐구심과 관찰력도 길러집니다.

5세가 된 아이에게는 초등 교육을 받을 수 있도록 준비하는 교육이 필요합니다. 이때 사회성을 길러 주고, 삶의 지혜를 터득하도록 도와주는 이솝 이야기를 들려주면 자신을 둘러싼 주변 세계를 인식하고, 다양한 인간관계를 이해하는 데 효과적입니다.